D0112721

La tour Eiffel à New York !

premières lectures

...pour les enfants qui apprennent à lire

Le texte à lire dans les bulles est conçu pour l'apprenti lecteur. Il respecte les apprentissages du programme de CP :

le niveau **JE DÉCHIFFRE** correspond aux acquis de septembre à novembre ;

le niveau **JE COMMENCE À LIRE** correspond aux acquis de novembre à mars ;

le niveau **JE LIS COMME UN GRAND** correspond aux acquis de mars à juin.

Cette histoire a été testée à deux voix par Francine Euli, enseignante, et des enfants de CP.

Cet ouvrage est un niveau JE LIS COMME UN GRAND.

Loi n° 49-956 du 16 juillet 1949 sur les publications destinées à la jeunesse,
modifiée par la loi n° 2011-525 du 17 mai 2011
ISBN : 978-2-09-255639-9
N° éditeur : 10221035 – Dépôt légal : mai 2015
Imprimé en décembre 2015 par Pollina (85400, Luçon, Vendée, France) - L74522

La tour Eiffel à New York !

Texte de Mymi Doinet

Illustré par Mélanie Roubineau

Ce soir, la tour Eiffel n'a pas sommeil. La belle pense à ses vacances : ira-t-elle skier à la montagne ou nager au bord de la mer ? Or, voilà justement qu'un goéland arrive avec une grande nouvelle : la statue de la Liberté l'invite !

Ravie, la tour baisse son long cou vers les chats de gouttière, surpris.

C'est parti ! La tour Eiffel
court le long de la Seine.
Puis elle rejoint la mer.

Et plouf! la voilà qui nage vers l'ouest,
plus vite que les vagues,
plus vite que le vent.

Accompagnée par des dauphins,
la grande nageuse arrive dans le port
de New York. Impatiente de faire
sa connaissance, la statue de la Liberté
la salue :

La tour Eiffel s'empresse de sortir
de l'eau et lui fait la bise.

La statue de la Liberté a un gros problème. À force de tenir sa torche et sa tablette sans remuer, la pauvre a des crampes.

La tour Eiffel, qui a si souvent des fourmis dans les jambes, lui conseille :

La statue de la Liberté dépose aussitôt sa tablette et sa torche à l'entrée du port. Ça lui fait du bien d'avoir les mains libres !

Puis, fière de pouvoir jouer les guides touristiques, elle se trémousse :

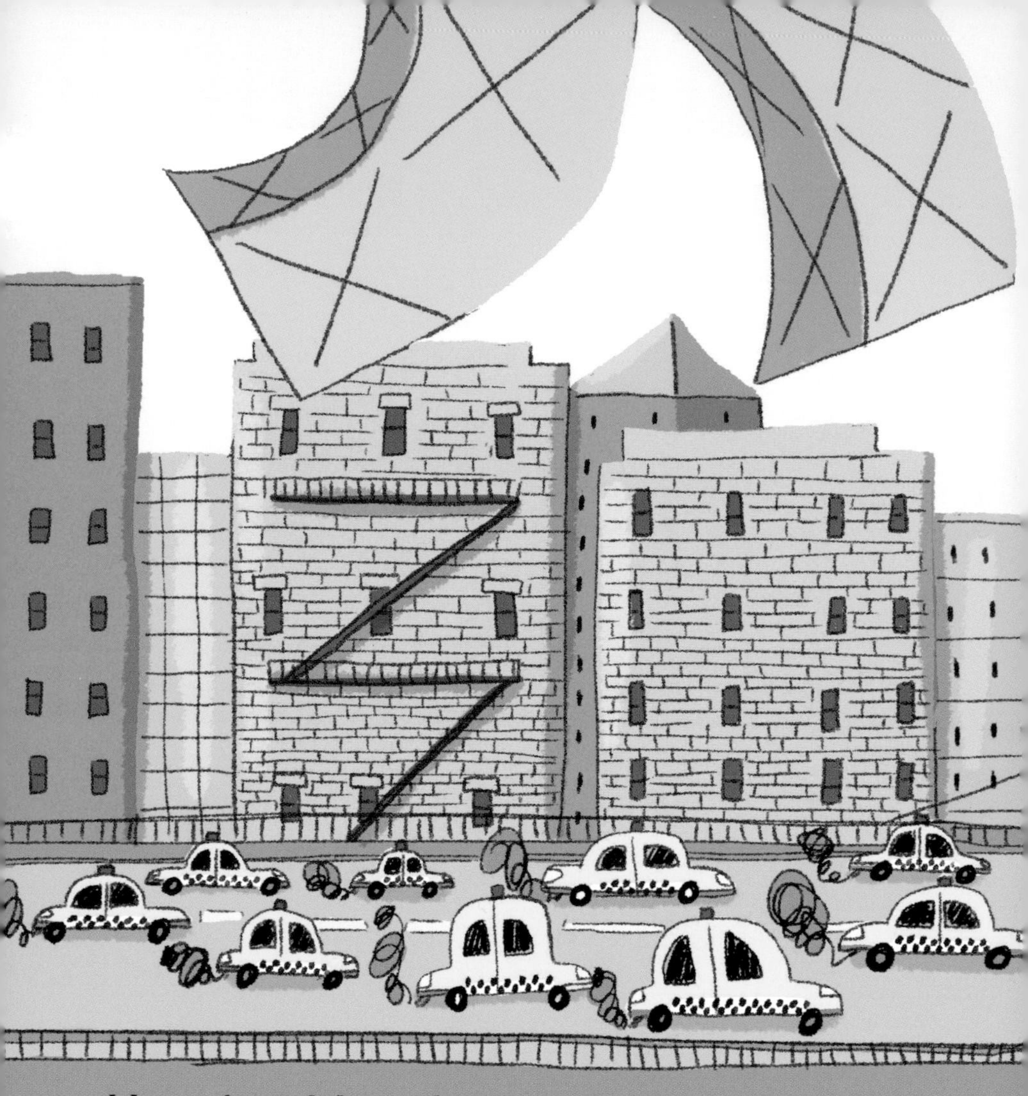

Hop, hop ! Les deux cousines doublent tous les taxis jaunes. Puis, à vos marques, prêts, partez !

Vive le Marathon!

Elles courent vers le pont de Brooklyn
et sautent par-dessus.

Les sportives filent ensuite assister à un match de basket. L'équipe de la NBA va-t-elle gagner ?

Bing ! La tour Eiffel donne des coups de tête dans le ballon. Elle marque un panier, puis deux, puis dix !

Après cette victoire, les cousines
vont faire du shopping
au pied des buildings.
Face aux immeubles
qui touchent les nuages,
les géantes se sentent
bien petites.

Vous auriez
l'air de top-
modèles !

Leur belle balade continue : direction Broadway, l'avenue où les cinémas et les théâtres clignotent jour et nuit. Devant les touristes qui les photographient, les cousines dansent comme dans les comédies musicales.

Chantons sous la pluie ! Do, ré, do, ré, mi !
Les claquettes, c'est extra, la, si, sol, do, fa !
TRUE
LOVE
BOOK
NOSEY
RACULA
AY

Essoufflées, les deux vedettes font un dernier détour par Central Park.

Pendant qu'elles se reposent dans le grand jardin, les enfants s'en servent de toboggans géants.

Il est tard. Les cousines doivent retourner à leur place. La statue de la Liberté court ramasser sa tablette… Mais sa torche n'est plus là ! Oh ! Des baleineaux se la lancent dans les flots.

Qui va gagner la partie ?
Les baleineaux bleus ou
les baleineaux gris ?

Fini de jouer ! La tour Eiffel ordonne aux baleineaux de redonner la torche.

Les bras à nouveau chargés, la statue de la Liberté remercie sa cousine et l'embrasse.

De retour à Paris, la tour Eiffel
pense déjà à son prochain voyage.
Perchés sur les toits gris, les matous
essaient de deviner : où leur amie
rêve-t-elle de partir, cette fois-ci ?
Zut ! Ils ne trouvent pas...
Ils donnent leur langue au chat !

… j'irai faire
du ski au sommet
du mont Blanc !

La tour Eiffel et la statue de la Liberté

Le même papa

C'est l'architecte Gustave Eiffel qui a imaginé les plans de la tour Eiffel, monument construit pour l'Exposition universelle de 1889. C'est aussi lui qui a dessiné le squelette de la statue de la Liberté, statue offerte par la France aux États-Unis en signe d'amitié.

De très grandes tailles

La tour Eiffel mesure 324 mètres, soit la hauteur de 64 girafes empilées les unes sur les autres.

Perchée sur son socle, la statue de la Liberté est plus petite. Elle mesure 93 mètres, soit la hauteur de 3 diplodocus.

Un objet dans chaque main

Dans sa main droite, la statue de la Liberté soulève une torche. Dans sa main gauche, elle tient une tablette où est inscrite la date du 4 juillet 1776.
C'est ce jour-là que fut proclamée la naissance des États-Unis.

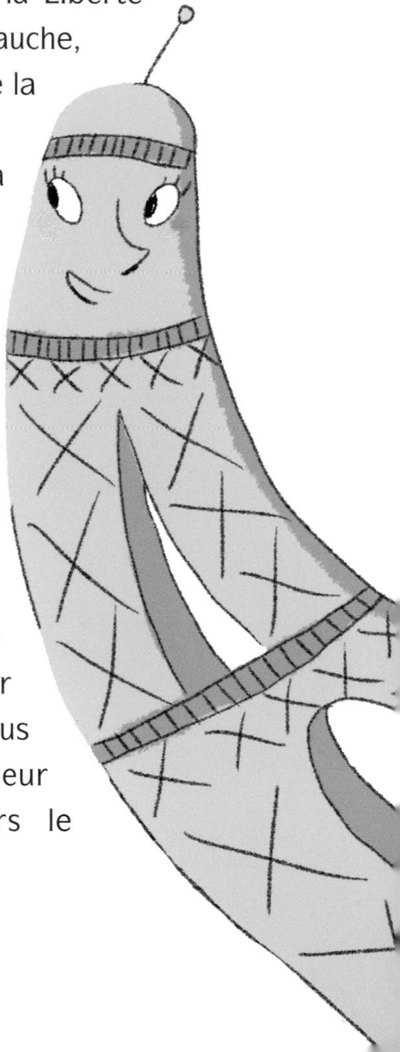

Une couronne sur la tête

La statue de la Liberté porte une couronne décorée de 7 rayons. Ils représentent les 7 continents que sont l'Amérique du Nord, l'Amérique du Sud, l'Antarctique, l'Europe, l'Asie, l'Afrique et l'Océanie.
Construite à l'entrée du port de New York, la statue est le premier monument que les migrants venus d'Europe découvraient depuis leur bateau quand ils voguaient vers le Nouveau Monde.

premières **lectures**

À la rentrée de septembre, les enfants de CP entrent doucement en lecture. Afin de les accompagner dans cette découverte et d'encourager leur plaisir de lire, Nathan Jeunesse propose la collection **Premières lectures**.

Cette collection est idéale pour une **lecture à deux voix,** prolongeant ainsi le rituel de l'histoire du soir. Chaque ouvrage est écrit avec des **bulles**, très simples, que l'enfant peut lire car les sons et les mots sont adaptés aux compétences acquises au cours de l'année de CP, et qui lui permettent de se glisser dans la peau du personnage. Par ailleurs, un «lecteur complice» peut prendre en charge les **textes**, plus complexes, et devenir ainsi le narrateur de l'histoire.
Les récits peuvent ensuite être relus dans leur intégralité par les élèves dès le début du CE1.

Les ouvrages de la collection sont **testés** par des enseignant(e)s et proposent trois niveaux de difficulté selon les textes des bulles : **Je déchiffre**, **Je commence à lire**, **Je lis comme un grand**.
L'enfant acquiert ainsi une autonomie progressive dans la pratique de la lecture et peut connaître la satisfaction d'avoir lu une histoire en entier...

Un moment privilégié à partager en classe ou en famille !